WESTERWALD IM BILD

Herausgeber: Westerwald-Verein e.V.
Geschäftsstelle des Hauptvereins: Kreisverwaltung, D-5430 Montabaur
Zuständig: Dieter Rolfes, Montabaur
Layout: Dieter Weyers, Montabaur
Druckerei: Friedr. Schmücker, Allee, D-4573 Löningen (Oldb)
Printed in Germany. Löningen 1975. 2., verb. Auflage 1976, 3. Auflage 1978

ISBN 3—921548—00—4

Bildnachweis:
Michael Jeiter, Aachen: 10, 16—18, 21, 24, 25, 32, 42—44, 46, 49—53, 57, 58, 61—65, 68—70, 73,
76, 80, 81, 91 links, 99—104, 106, 108—118
Hermann Josef Roth, Bergisch Gladbach: Farb. Titelbild, 11, 13, 28, 29, 34, 35, 39, 47 unten,
48, 54—56, 59, 60, 66, 72, 78, 79, 82, 83, 85—90, 91 rechts, 92—98, 105, 107, Umschlagklappe
Ellen Traubenkraut, Ettringen: 12, 14, 15, 19, 20, 22, 23, 26, 27, 30, 31, 33, 36—38, 40, 41, 45,
47 oben, 67, 71, 74, 75
Foto S. 11: Reproduktion (Roth) nach einem Original von Friedrich Schweitzer, Westerburg.
S. 77: Archiv der Stadt Haiger, Industriefoto Heinz Musmann, Detmold.
S. 84: Leihgabe von Archivar Wilh. Weber, Oberpleis (Königswinter 21).
Die Vorlagen für die historischen Karten und die Stiche des 19. Jahrhunderts befinden sich
in Privatbesitz.

Westerwald im Bild

von Hermann Josef Roth

mit einem Vorwort von Dr. Norbert Heinen
und Fotos von
Michael Jeiter   Hermann Josef Roth   Ellen Traubenkraut

Vierte Auflage 1981

INHALT

VORWORT

Der Westerwald-Verein möchte durch die Herausgabe der Buchreihe „Das Westerwaldbuch" das Interesse an unserer reizvollen Mittelgebirgslandschaft vertiefen. Nachdem der 1972 erschienene Band I sich vorwiegend mit Fragen der Landeskunde, Geschichte und Kultur des Westerwaldes befaßte und ein gutes Echo fand, hielt es der Hauptvorstand für sinnvoll, nunmehr mit einem Bildband an die Öffentlichkeit zu treten. Er soll ein anschauliches Bild der Landschaft, ihrer Geschichte und Kultur und damit des Wirkens der Westerwälder Menschen vermitteln. Das breitgefächerte Bildmaterial wird sicherlich dazu beitragen, einerseits den Freund und Kenner des Westerwaldes in seiner Beziehung zu dieser Landschaft zu bestätigen, andererseits aber auch dem Fremden Aufschlüsse über die Schönheiten und Vorzüge dieses Raumes zu geben.

Ich wünsche dem ersten Bildband über das Land zwischen Rhein, Lahn und Sieg eine weite Verbreitung. Möge er ein guter Bote unserer schönen Landschaft sein!

Montabaur, im September 1975

Landrat Dr. Norbert Heinen
Vorsitzender
des Westerwald-Vereins

ZUR VIERTEN AUFLAGE

Fortwährende Nachfrage hat eine vierte Auflage dieses Buches nötig werden lassen. Dieser Erfolg beweist, daß die Konzeption des Bildbandes richtig war und von den Lesern akzeptiert worden ist. Durch geringfügige Verbesserungen konnte der Text auf den neuesten Stand gebracht werden. Erstmals macht ein Inhaltsverzeichnis die Anlage des Werkes mit seiner durchgängigen antipodischen Gliederung deutlich, die sich in der paarweisen Anordnung inhaltlich einander zugeordneter Bilder fortsetzt.

Im Hinblick auf den inzwischen erschienenen farbig illustrierten Naturführer des Verfassers und Spezialbildbände für die Themen Industrie, Handel, Verkehr oder Verwaltung wurden Fotomotive aus diesen Bereichen auch in der Neuauflage nur ausnahmsweise berücksichtigt oder blieben völlig ausgespart.

Möge das Buch weiterhin „Architektur und Kunsthandwerk als Ausdruck des historischen Lebensinhaltes der Bevölkerung" des Westerwaldes „und die Landschaft als ihren Lebensraum" dem Leser und Betrachter näher bringen!

Köln, im März 1981

Hermann Josef Roth

Rufmord kann auch eine Landschaft treffen. Den Westerwald hat er jahrzehntelang in schlechtes Licht gerückt. Noch heute ist es leider oft nicht viel, was mancher Deutsche mit dem Namen Westerwald verbindet: Überholte Klischees vielleicht vom Land der armen Leute, ein Soldatenmarsch, nach dem hier der Wind so kalt pfeift, oder klimatologischer Unsinn über „neun Monate Winter und drei Monate kalt". Schon eine eilige Fahrt über die Autobahnen zwischen Hennef und Limburg oder Siegen und Wetzlar kann das Bild korrigieren. Flüchtige Eindrücke vertiefen, Unscheinbares neben Bekanntem zeigen, vor allem aber zu eigener Entdeckungsreise anregen, das möchte der vorliegende Bildband.
Der Westerwald ist Teil des rechtsrheinischen Schiefergebirges. Bergisches Land, Rothaargebirge, Taunus und — linksrheinisch — die Eifel sind seine Nachbarn. Grundsockel des Gebirgsblocks bilden devonische Schiefer und Grauwacken mit teilweise eingelagerten Quarzitzügen, mächtige Ablagerungen eines Meeres, das vor etwa 350 Millionen Jahren das Rheinland überflutete. Sehr viel später, „erst" vor 30 Millionen Jahren verliehen vulkanische Ausbrüche dem Gebiet im wesentlichen die heutige Oberfläche, deren endgültiges Relief die verschiedensten Kräfte herausgemeißelt haben. Wichtigstes Produkt der tertiären Vulkane ist der Basalt, der Teilen der Landschaft, vor allem dem Hohen Westerwald, ein unverwechselbares Gesicht verleiht. Der Bimsstein im Neuwieder Becken, der das Rohmaterial für Hohlblocksteine liefert, wurde ebenfalls aus den Schloten der Erde geschleudert. Die Thermal- und Kohlensäurequellen von Bad Hönningen, Bad Ems oder Biskirchen sind noch Nachwirkungen der unruhigen Erde.

„Vierstromland" wurde scherzhaft aber treffend die Gegend genannt, denn Rhein, Lahn, Sieg und Dill legen vereinbarungsgemäß die Grenzen fest, obwohl die Gelehrten nicht immer damit einverstanden sind. Sicher spielen die Täler der großen Flüsse als uralte Akticäume eine eigene und tonangebende Rolle, deren bestimmendem Einfluß die Höhen stets ausgesetzt waren und sind. Nur im Norden ist das Bergland an der mittleren Sieg auch von seinen natürlichen Gegebenheiten her stärker an dieses Tal angebunden. Doch auch im Inneren bereitet eine Aufgliederung der Teillandschaften Kopfzerbrechen. Die historischen und politischen Grenzen decken sich kaum einmal mit denen der Natur, die eine Einteilung zuläßt in den Hohen Westerwald und Oberwesterwald, sowie in Montabaurer Westerwald, Rheinwesterwald und Vorderwesterwälder Hochfläche, die zur Zeit zum Niederwesterwald zusammengefaßt werden. Man sieht, eigensinnig wie angeblich der Westerwälder Mensch, der „Wäller", ist auch seine Landschaft, die sich einer eleganten Klassifizierung entzieht. Brennpunkte des Geschehens waren stets die Tallandschaften am Rande. Selbst der Name Westerwald entstand aus dieser Blickrichtung. Er bezeichnete ursprünglich lediglich einige Kirchspiele auf dem Hohen Westerwald westlich von Herborn, den Wald im Westen also. Zwischen den Flußtälern und Ebenen wirkt dieses Gebirge wie eine Barriere, die schon der vorgeschichtliche Mensch zu überwinden trachtete. Seit prähistorischer Zeit laufen wichtige Nord-Süd-Verbindungen über den Westerwald, von den

Handelswegen der Menschen, die vor 2000 Jahren das Erz aus den Klüften der Siegerländer Erde schürften, bis zur Köln-Frankfurter-Autobahn als der am meisten befahrenen Fernstraße der Bundesrepublik.

Von auswärts griffen die Mächtigen nach dem Westerwald. Seit dem Limes, dem Grenzwall der Römer, der den südwestlichen Zipfel der Landschaft ihrem Imperium einverleibte, traten immer neue Herren in gegenseitige Konkurrenz. So steckten die Kurfürsten von Köln, Trier und Mainz oder im Osten die verschiedenen Linien des Hauses Nassau und später von Norden stellenweise vordringend die Herzöge von Berg ihre Herrschaft ab. Wie bedeutend am Ort auch die Rolle derer von Wied, Isenburg oder Sayn gewesen sein mochte, keiner der kleinen oder mittleren Territorialherren konnte sich zu einer Macht aufschwingen, die das ganze Land zu einer

politischen Einheit hätte führen können. Nur vorübergehend wurde der ganze Raum oder große Teile desselben mehr oder weniger einheitlich verwaltet, etwa unter den Franken, durch Napoleon (nach 1803) oder unter den Preußen (1815 teilweise, 1866 durch Annektion von Nassau ganz). Verstand sich der Adel auch vorzüglich auf die Handhabung von Schwert und Hellebarde, die Kriegstechnik hat der Bevölkerung nie Nutzen gebracht. Scharmützel der Grundherren, die Koalitionskriege Ende des 18. Jahrhunderts oder die Rückzugsgefechte der deutschen Armeen des zweiten Weltkrieges trafen sie gleicherweise.

Demgegenüber schien das Christentum eine andere, bessere Ordnung zu verheißen. Die natürlichen Einfallstore des Limburger Beckens, der Wetzlarer Senke oder der Niederrheinischen Bucht nutzend, missionierten

Trierer, Kölner und vielleicht auch Mainzer Glaubensboten von Lahn und Rhein her.
Auf diesen Wegen aber folgte auch die Kultur der weiten Welt. Fremde Baumeister errichteten an den Stützpunkten der Mission erste steinerne Bauwerke, kunstvolle Kirchen, die zum Teil bis heute in ihrer Schönheit erhalten geblieben sind. Die Werke der Plastik, Malerei und sonstigen Kleinkunst gehörten zum Reisegepäck der Architekten oder ihrer Begleiter. Die Stifte und Klöster blieben lange Zeit die einzigen Stätten der Gelehrsamkeit und Kunstpflege, Musterbetriebe agrarischer und technischer Kultur.
Aber daneben, manchmal auch dagegen, erblühte jene schlichte und überaus reizvolle Volkskultur der einfachen Menschen, die kaum je aus dem Überfluß schöpfen konnten wie die Reichen und Mächtigen, sondern oft genug mühsam dem kargen Boden und unter erschwerten klimatischen Bedingungen das Brot für sich und für die Tribute an den Landesherrn abringen mußten. An dem Leben auf den Burgen und in den Schlössern hatten sie wenig Anteil. In der Art, sich schmuck zu kleiden, so angenehm wie möglich zu wohnen oder ihr Gebrauchsgerät zu zieren, brachten sie unverwechselbar ihr Wesen zum Ausdruck. Die inzwischen fast völlig verschwundene Bauerntracht, Fachwerkbauten, Schnitzereien, Schmiedewerk, Töpferei und nicht zuletzt das vielfältige Brauchtum legen beredt Zeugnis ab von der schöpferischen Kraft des arbeitenden Volkes im Westerwald. Der Westerwald ist Waldland, aber gerade im höchsten Teil des

8

Gebirges haben Erzverhüttung und Köhlerei die Wälder zuerst dezimiert. Erst die letzten hundert Jahre haben durch Aufforstung (Schutzhecken) oder Pflege der ehemaligen feudalen Jagdreviere den Namen Wester-Wald wieder sinnvoller werden lassen.

Wald- und Landarbeit haben heute in der Erwerbsstruktur nicht mehr ihr einstiges Gewicht. Längst leben die Bürger nicht mehr nur in den kleinen Städtchen, längst vollzieht sich mit dem Funktionswandel der Landschaft auch der Strukturwandel in der Bevölkerung. In den vergangenen Jahrzehnten haben sich namhafte Industrien der verschiedensten Branchen angesiedelt, die wesentlich zu einer nachhaltigen Verbesserung der privaten und öffentlichen Lebensbedingungen beigetragen haben. Daneben spielen der traditionelle Basalt-, Bims- und Tonabbau eine Rolle. Insbesondere das Kannenbäckerland um Hillscheid, Höhr-Grenzhausen, Mogendorf, und Ransbach-Baumbach hat einen weltweit gültigen Ruf mit seiner Keramikproduktion und -gebrauchskunst erringen können. Durch diesen wirtschaftlichen Aufschwung ist der Westerwald zu einer gepflegten Landschaft mit sauberen Städten und Dörfern und zufriedenen Menschen geworden. Zunehmend rückt die „weiße Industrie" des Fremdenverkehrs in den Erwartungshorizont der Einheimischen, die sich zwischen den Ballungsräumen an Rhein, Ruhr und Main ihres Kapitals an herrlicher Landschaft bewußt werden und sich einige Chancen ausrechnen. Der Westerwald-Verein e.V. als Pionier der touristischen Erschließung dieses

Gebietes hat das seit seiner Gründung im Jahr 1888 gewußt und bereits vor Jahrzehnten zielstrebig verfolgt.

Last not least sei ein Blick ostwärts geworfen über die Dill hinaus. Das Land im Lahnbogen wird von manchen Gelehrten zwar nicht mehr zum eigentlichen Westerwald gerechnet, sie sprechen vom Gladenbacher Bergland oder nennen es ein Übergangsgebiet, Der Volksmund spricht, einst von (Hessen-) Darmstadt aus gesehen, weniger schön vom Hinterland — aber eine neue Heimat hat noch keiner für diesen reizvollen Landstrich gefunden. So bleibe er wie bisher: des Westerwaldes engster und schönster Verwandter!

Ein Westerwald-Fan hat einmal bemerkt, er brauche in den Ferien nicht ins Ausland zu fahren, denn alles, was da gezeigt werde, gäbe es auch daheim, ob Vulkankrater (Bertenauer Kopf) oder schiefer Turm (Dausenau), Kathedralgotik (Marienstatt) oder Wehrkirchen (Pütschbach, Kircheib), und dazu

ein abwechslungsreiches Freizeitangebot für Sport und Hobby.

Nun, auch die folgenden Bildseiten zeigen nur einiges aus dem bunten Kaleidoskop einer lange verkannten Mittelgebirgslandschaft. Thematisch geordnet zeigen sie Natur und Landschaft, Brücken und Wege, Burgen und Schlösser, Städte und Dörfer, Kultur und Kunst, Arbeit und Erholung. Den Abschluß bilden einige Tafeln aus dem „Hinterland". Die paarweise gegenüberstehenden Seiten bilden meist einen inneren Zusammenhang oder auch einen Kontrast. Das mag die Orientierung und vielleicht auch das Lernen erleichtern.

Doch, wie gesagt, die Wirklichkeit ist reicher. Kommen Sie selbst, um sich zu überzeugen!
Hui! Wäller? — Allemol!
Ihr Westerwald-Verein e.V.

Schon Goethe reiste in den Westerwald! Alte Ansichten des 19. Jahrhunderts, wie sie auf den ersten Seiten zu sehen sind, beweisen, wie sehr auch nach ihm Reisende die Landschaft schätzten. Die Stiche zeigen Holzappel (Seite 6), Driedorf im Dillkreis (Seite 7), Kloster Ehrenstein im Wiedtal (Seite 8) und unten die Ruine Sayn bei Bendorf mit dem Saynbach, der von den Höhen des Westerwaldes kommt.

IO

Die Höhen des Westerwaldes sind durchweg bescheidene Kuppen, die nur wenig über die Landschaft hinausragen. Das flachwellige Relief verrät das hohe Alter des Gebirges, das über Jahrmillionen durch Wind und Wetter abgetragen worden ist.

Ablagerungen des Devonmeeres bilden das Grundgestein (Schiefer und Grauwacke) des Westerwaldes. Seine Tierwelt ist durch unzählige Versteinerungen gut bekannt. Der oben abgebildete Tintenfisch (Orthoceras) mit den Armkiemern (Brachiopoden) befindet sich in der wertvollen Sammlung der Familie Schweitzer in Westerburg. — Warm-wäßrige Minerallösungen haben beim Erkalten ihren Inhalt abgesetzt und ausgedehnte Erzlager an Lahn, Dill, Wied und im Siegerland hinterlassen. Das Stück Brauneisen (unten) stammt aus einer Grube bei Herdorf.

12

Neuzeitliches (tertiäres) Gestein ist im Westerwald vornehmlich eine Folge des Vulkanismus. Der 15 m hohe Kegel des Druidensteins bei Herkersdorf bildete sich, als die Lava durch die Grauwacke drang und anschließend als Säulenbasalt erstarrte.

Im Ketzerstein bei Weißenberg hat sich der Basalt dagegen in Blockform abgesetzt. Beide Vorkommen sind als Naturdenkmal geschützt.

14

Nach Westen bildet das Rheintal die Grenze des Westerwaldes,
im Nordwesten ist das Siebengebirge der Eckpfeiler zur Kölner Bucht.
Ein riesiger Vulkan türmte die eher sieben mal sieben Berge auf,
von denen hier der Drachenfels mit seiner Burgruine und davor die
Wolkenburg erkennbar sind.

Während der Drachenfels aus Trachyt besteht, ist der Stenzelberg nordöstlich davon aus Latit aufgebaut. Schalige Absonderungen im Gestein machten es stellenweise industriell wertlos, so daß beim Abbau bizarre Türme zurückblieben. Heute steht das Siebengebirge unter Naturschutz.

16

Die Sieg bildet vereinbarungsgemäß die Nordgrenze des Westerwaldes, vielleicht die anfechtbarste Grenzziehung, wie die Gelehrten einsichtig gemacht haben. Im Hintergrund ist die Freusburg zu sehen, die einst Sayn dann Kurtrier zu eigen war und heute eine bekannte Jugendherberge ist.

Die von der Dill — hier bei Offdilln — markierte Westerwälder Ostgrenze
hat eher praktische Bedeutung als Orientierungshilfe. Das „Hinterland"
haben die „Wäller" liebevoll annektiert. Geologisch ist es zwar vom
Oberdevon und Kulm geprägt, doch kündigt sich dieses Gestein bereits
westlich der Dill etwa bei Langenaubach und Daubhausen an — als ob die
Erde selbst so ihre Verbundenheit ausdrücken wollte.

17

18

Die Lahn nimmt bei Wetzlar die Dill auf, von dort bis Lahnstein begrenzt sie südlich den Westerwald. Bei ihrem Lauf zum Rhein hin durchfließt sie auch das ehemalige Weltbad Bad Ems, in dem Kaiser und Zar kurten, dessen Verwaltung heute die hier besonders heikle Aufgabe meistern muß, neue Wege einzuschlagen, ohne die Identität des berühmten Kurbades einzubüßen.

Die Weißenfelser Ley bietet einen besonders schönen Blick auf den längsten Flußlauf innerhalb des Westerwaldes, die Wied. Ihr Ursprung im Dreifeldener Weiherland ist kaum zu orten, die Mündung in den Rhein erfolgt reizlos im kanalisierten Bett bei Irlich, dazwischen aber entschädigt sie durch abwechslungsreiche Landschaftsbilder.

20

Die Westerwälder (Dreifelder oder Nassauische) Seenplatte ist als reizvolle Kulturlandschaft einmalig im Westerwald. Sieben Stauweiher haben dem Gebiet seinen Namen gegeben: See-, Haiden- und Hofmannsweiher bei Dreifelden, Brinken-, Post- und Hausweiher bei Freilingen, etwas entfernt schließlich der Wölferlinger Weiher. Abseits des Badebetriebes, der im Interesse des Natur- und Landschaftsschutzes nur an den ausgewiesenen Stellen möglich ist, gedeiht eine höchst bemerkenswerte Pflanzenwelt, tummeln sich in Erlen- und Weidengebüsch, in Röhricht und Ried seltene Sumpf- und Wasservögel.

Die Seenplatte ist durch den Menschen geschaffen worden. Schon im
12. Jahrhundert wird das Gebiet erwähnt, aber erst im 17. Jahrhundert
gab Graf Friedrich von Wied dem Gebiet seine heutige Gestalt. Die Seen,
richtiger Teiche, dienen der Fischzucht. Das Abfischen im Herbst, wozu der
Seeweiher abgelassen wird, entwickelt sich stets zu einem regelrechten
Volksfest.

22

Die Nister wird von drei Flüßchen zuwege gebracht, der Großen, Schwarzen und Kleinen Nister, die alle im Hohen Westerwald nahe von Stegskopf, Salzburger Kopf und Fuchskaute entspringen. Bei Marienstatt schneidet sich die Große Nister tiefer in das Bergland und fließt stark mäandrierend in nordwestlicher Richtung zur Sieg. Der schönste Teil wird nicht ganz zu Unrecht „Kroppacher Schweiz" genannt, wie dieser Blick von der Spitzley zeigt.

Der Gelbach fließt südwärts zur Lahn. Unterhalb von Montabaur bilden in dem Ortsteil Wirzenborn, einem Wallfahrtsziel von lokaler Bedeutung, Architektur und Landschaft eine Einheit, die nur geringfügig durch einige häßliche Neubauten gemindert werden kann. Kirche und Inventar sind sehenswert. Talabwärts sollte man unbedingt noch einmal Halt machen in Kirchähr, einem uralten Pfarrort, der heute Jugendzentrum ist.

23

24

Emmerichenhain, heute Stadtteil von Rennerod, bezeichnet das Kerngebiet des Westerwaldes. Das Dorf war einst Hauptort der „Herrschaft zum Westerwald", in der die Bauern unter Nassau-Dillenburgischem und Saynschem Schutz angeblich das Sagen hatten: „Ritter und Pfaffen" hatten hier nichts zu holen, Burgen und Klöster blieben von hier verbannt; die Bauern selber hielten nach eigenem Weistum Gericht auf dem Salzburger Kopf (bis 1645).

Zwischen Erdbach und Breitscheid im Dillkreis erstreckt sich im ober-
devonischen Iberger Kalk ein Karstgebiet mit Spalten, Höhlen, Dolinen
und der Versickerung des Erdbaches (Bild). Das erst in neuerer Zeit
entdeckte Karsthöhlensystem ist das größte in Hessen! Spürbar hat sich
der Charakter des Westerwaldes zum Ostrand hin gewandelt.

26

Durchzugsgebiet wichtiger Handelswege ist der Westerwald seit vorgeschichtlicher Zeit. Heute haben die Autobahnen überregionale Bedeutung. Hier überquert die Köln-Frankfurter Autobahn auf 425 m langer, inzwischen umgebauter Brücke das Tal der Wied.

Die Eisenbahnbrücke bei Büdingen (Nistertal) galt vor dem Ersten Welt-
krieg als „Wunder der Technik". Die damals größte Beton-Brücke in
Deutschland wurde von Ingenieuren und Architekten aus aller Welt besucht.
Über sie führte die eingleisige Strecke Erbach—Marienberg—Fehl—
Ritzhausen, die 1911 eröffnet wurde, seit wenigen Jahren aber nur noch
bis Bad Marienberg dem Güterverkehr dient.

27

28

Seit dem ersten Brückenschlag, bei dem Cäsar seine Truppen über den Rhein in das Neuwieder Becken führte, mußten die Menschen im stark zertalten Westerwald Brücken bauen. Für die vielen alten noch erhaltenen Brücken mag die Nisterbrücke bei Marienstatt stehen, die noch auf mittelalterlichen Fundamenten steht, 1725 aber neu aufgemauert worden ist.

An der Willrother Höhe erreicht eine der am meisten befahrenen Straßen Deutschlands, die BAB Köln-Frankfurt, ihren höchsten Punkt im Westerwald. Der Förderturm der Grube Georg ist inzwischen der letzte Zeuge dieser Art des einstmals gewinnbringenden Bergbaues zwischen Siegerland und Wied, der hier über 2000 Jahre umging.

30

Wenig respektvoll hat der Volksmund den einsamen Bergfried der Burgruine Hartenfels „Schmanddippe" (Rahmtopf) getauft. Dabei besaß die Burg einst hohe strategische Bedeutung als Schutz der Köln-Frankfurter Straße, die stellenweise den Verlauf der heutigen B 8 hatte. Die Grafen von Wied und Gräfin Mechthild von Sayn waren im 13. Jahrhundert ihre Besitzer, ehe sie später an Trier fiel und als dessen Grenzfeste weiter ausgebaut wurde.

Die Ruine der Burg Lahr in Burglahr erhebt sich auf einem typischen
Umlaufberg im Wiedtal. Der alte Sitz der salentinischen Isenburger wurde
1325 von Kurköln erworben, das mit Kurtrier um die Vorherrschaft im
Westerwald rang und hier seinen südöstlichen Vorposten hatte.

32

Die Neuerburg im Fockenbachtal bei Niederbreitbach war Sitz eines kurkölnischen Amtes, nachdem Mechthild von Sayn die Burg 1250 dem Erzstift übergeben hatte. Der fünfeckige Bergfried wendet seine Spitze der Hauptangriffsseite zu.

Auch die Burg Reichenstein bei Puderbach fiel dem Erzstift Köln zu, das sie 1256 den bisherigen Eigentümern Ludwig Walpode von der Neuerburg und Ernst von Virneburg sowie deren Verwandten zu Lehen gab. Der ebenfalls fünfeckige Bergfried hat eine zum Halsgraben hin abgeflachte Spitze.

34

Die Burgruine Greifenstein im Kreis Wetzlar gilt als die bedeutendste Wehranlage des Westerwaldes. Nachdem die frühere Burg der Herren von Beilstein-Greifenstein zerstört worden war, gelang es dem Haus Solms, die Stätte ganz in seinen Besitz zu bringen und auszubauen, Letzte Hand an sie legte Graf Wilhelm I. von Solms-Greifenstein († 1635), der seine Kenntnisse als Festungsbaumeister in diese damals uneinnehmbare Verteidigungsanlage investierte.

Ihren ursprünglichen Sitz verloren die Herren von Beilstein schon nach 1229 an die Grafen von Nassau, die Anfang des 14. Jahrhunderts die Burg ausbauten und im 17. Jahrhundert zur Residenz erweiterten. Die Franzosen verkauften das 1812 bereits ruinöse Schloß auf Abbruch, heute ist man wie im benachbarten Greifenstein um eine Restaurierung bemüht.

36

Die Burg Grenzau im gleichnamigen Ortsteil von Höhr-Grenzhausen ist in der Fachwelt berühmt durch ihren dreieckigen Bergfried, dessen eine Kante der Hauptangriffsrichtung zugekehrt ist. Heinrich I. von Isenburg baute sie vor 1213, ein Jahrhundert später war sie bereits trierisches Lehen. Die Franzosen zerstörten 1635 die Burg, doch blieben Teile bis heute bewohnbar. Zu Füßen der Burg am Brexbach steht das wertvolle Fachwerk-Gasthaus von 1631.

Bei der Sporkenburg wehrt eine mächtige Schildmauer möglichen
Angriffen. Heinrich von Helfenstein († 1312) erbaute die Anlage auf den
Mauern der vernichteten Vorgängerin. Auch sie war anfangs Lehen des
Erzstiftes Trier, ehe sie nacheinander durch Kauf in den Besitz des
Hauses Nassau und der Grafen von Metternich-Winneburg gelangte.
Im gleichen Jahr ereilte sie dasselbe Schicksal wie die Burg Grenzau.

37

38

Die Talburg Langenau bei Obernhof nahe der Einmündung des Gelbaches in die Lahn konnte ehemals mittels einer Stauanlage zu Verteidigungszwecken in eine Wasserburg umgewandelt werden. Wechselnde Besitzer haben den Burgkern aus Schildmauer, Haupt- und Torturm verschiedentlich erweitert und im 17. Jahrhundert schloßartig ausgebaut.

Nur der Turmsockel der Talburg Steinebach mit gotischem Torbogen
hält noch das Andenken an das gleichnamige Geschlecht wach, das bereits
Mitte des 16. Jahrhunderts ausgestorben ist. Gegenüber den Höhen-
burgen tritt die Bedeutung der Talburgen im Westerwald sehr zurück.

40

Ein Westerwälder, Kurfürst Johann Philipp von Walderdorff, ließ 1759/62 das Schloß in Engers (heute Klinik) anstelle einer alten kurtrierischen Burg errichten. Auch der Neubau in Molsberg und der Umbau in Montabaur sowie die in diesem Gebiet erste Chaussee von Ehrenbreitstein über Montabaur nach Limburg sind Verdienste des tüchtigen Landesherrn. Ehe im 14. Jahrhundert das Erzstift Trier hier Fuß fassen konnte, war Engers wohl Hauptort des seit 773 bezeugten Engersgaues.

Das Schloß in Neuwied wurde in seiner jetzigen Form 1756 vollendet, nachdem Graf Friedrich III. zu Wied — auf der Seeburg bei Dreifelden geboren und Gründer von Neuwied — schon 1648 mit einem Schloßbau begonnen hatte. Von Stadt und Residenz der Grafen und Fürsten zu Wied ging ein vorbildlicher Geist weltanschaulicher Toleranz aus; die wirtschaftliche Kraft des Neuwieder Beckens garantiert bis heute vielen Westerwäldern Arbeit und Brot.

42

Von den Zisterziensern in Eberbach kauften die Grafen von Nassau-Hadamar einen Hof an dieser Stelle, den sie zunächst als Wasserburg, im 17. Jahrhundert zum heutigen Schloß ausbauten. Die Grafschaft, seit 1650 Fürstentum, hat ein wechselndes Schicksal unter immer wieder neuen oder fremden Herren erlebt. Die Residenz erhielt bereits 1324 Stadtrechte.

Schloß Molsberg geht auf eine Burg zurück, die ähnlich wie Hartenfels
zur strategischen Sicherung der Köln-Frankfurter-Straße angelegt worden
war. Seit 1657 ist Molsberg als ehemalige kurtrierische Unterherrschaft
Eigentum der Freiherren und späteren Grafen von Walderdorff. Einer
der ihren, Kurfürst Johann Philipp, baute seit 1760 das neue Schloß
anstelle der abgetragenen Burg.

43

44

Schloß Friedewald bei Daaden ist aus einer älteren Burg der Grafen von Sayn hervorgegangen. Der stilmäßig zwischen Hochrenaissance und Barock (Manierismus) stehende Bau ist vielleicht vom Heidelberger Schloß in seiner Architektur beeinflußt worden. Hier war von 1671 bis 1791 der Hauptsitz der Reichsgrafschaft Sayn-Altenkirchen. Heute ist das Schloß durch seine evangelische Sozialakademie weithin bekannt.

Schloß Schönstein bei Wissen, das über der Elbbachmündung zur Sieg hin aufragt, besitzt diesen schönen Erker im Binnenhof, um den sich sämtliche Gebäude gruppieren. Damit trägt das vom 16. bis 18. Jahrhundert aufgeführte Schloß im Grunde den Charakter einer Randhausburg. Als Erben derer von Wildenburg sind seit 1420 die von Hatzfeld Besitzer.

46

Wie die Jahreszahl über dem Portal und auf der Wetterfahne verrät, wurde der Hof Neuroth bei Bilkheim 1664 erbaut. Das Wasserschlößchen bildet einen Gegenpunkt zu dem großen Schloß in Molsberg. Schon sieben Jahre später, nachdem die Gegend in den Besitz der Freiherren von Walderdorff gelangt war, entstand Neuroth, hundert Jahre früher als die Residenz auf dem Berge.

Schloß Monrepos (oben) ist nur noch Erinnerung. In dem 1757—66 erbauten Lustschloß der Fürsten zu Wied verlebte Prinzessin Elisabeth, die spätere Königin von Rumänien († 1916), ihre Jugend. Sie wurde auch unter dem Dichternamen „Carmen Sylva" („Lied vom [Wester-]Wald") bekannt. — Die Weltersburg, die einst wie Hartenfels und Molsberg die Köln-Frankfurter Straße sichern sollte, ist längst verfallen. Die Stadtrechte des Dorfes sind es ebenso. Nur der alte Burgsitz derer von Reifenberg („Brambacher Schlößchen", nach 1552) erinnert an verlorene Bedeutung (Bild unten).

48

Um 1100 fiel der Benediktinerabtei Siegburg Oberpleis als erste Besitzung zu. Damit wird zugleich die Stoßrichtung des kölnischen Einflusses auf den Westerwald angedeutet. Südlich der samt ihrer Innenausstattung höchst sehenswerten Propsteikirche, einer romanischen Pfeilerbasilika, befindet sich in den ehemaligen Propsteigebäuden noch ein Rest des romanischen Kreuzganges.

Das Kollegiatstift Dietkirchen an der Lahn repräsentiert am südlichen
Rand des Westerwaldes die Macht des neben Köln einflußreichsten
Kirchenfürsten, des Trierer Erzbischofs. Das in der Stiftskirche verwahrte
wertvolle Reliquiar des hl. Lubentius, der im vierten Jahrhundert in
Kobern an der Mosel gestorben ist, gab dem trierischen Anspruch ein
gewichtiges Symbol.

50

Schon in der Mitte des 9. Jahrhunderts erfolgte die Gründung des nachmaligen Reichsstiftes Gemünden bei Westerburg. Als geistliche Herren lebten hier ständig etwa zwölf Kanoniker, deren Vögte die weltlichen Angelegenheiten versahen. Seit 1567 ist St. Severus evangelische Pfarrkirche. Die jüngste Restaurierung (1971—73) hat den romanischen Charakter des bedeutenden Bauwerkes wieder stärker hervortreten lassen.

Inneres der Klosterkirche Altenberg bei Wetzlar. Kaiser Friedrich
Barbarossa erhob das zwischen 1164 und 1179 gegründete Prämonstra-
tenserinnenkloster zur reichsunmittelbaren Abtei. Die Meisterin Gertrud,
die ähnlich wie ihre Mutter, die hl. Elisabeth von Thüringen, von den
Katholiken verehrt wird, führte das Kloster im 13. Jahrhundert zur Hoch-
blüte. Durch das heutige Mutterhaus der Königsberger Diakonissen ist
hier christliche Überlieferung lebendig geblieben.

Die dynamischen Reformorden des 12. Jahrhunderts traten auch im Westerwald auf den Plan: 1135 übernahmen Prämonstratenser aus Belgien eine ältere Stiftung in Rommersdorf bei Heimbach. Der hier abgebildete Kreuzgang gehört zu den wertvollen Bauteilen aus dem Mittelalter innerhalb der barocken Anlage.

Auch im Kreuzgang der Abtei Sayn wandelten Prämonstratenser, die aus Steinfeld in der Eifel nach der 1202 erfolgten Gründung hierher gekommen waren. Unterhalb der Stammburg der Grafen von Sayn im Brexbachtal außerhalb von Bendorf gelegen, enthält das ehemalige Kloster eine Reihe hervorragender Kunstschätze. Der abgebildete Brunnen aus dem Westflügel des Kreuzganges (um 1230) ist der einzige seiner Art, der im Rheinland noch erhalten ist!

54

Heisterbach gründeten 1189 Zisterzienser aus Himmerod in der Eifel. Die viel dargestellte und besungene Chorruine der zerstörten Abteikirche lebt noch von romanischen Stilvorstellungen, wie die weniger bekannte Ansicht von Osten erkennen läßt. Heisterbach ging außer in die Kunstgeschichte auch in die Literatur ein durch die Legende des „Mönchs von Heisterbach". Für die rheinische Volkskunde sind die frommen Plaudereien des Klosterpriors Cäsarius eine Fundgrube.

Die Choranlage des 1212 von Heisterbach aus gegründeten Klosters
Marienstatt ist bereits in gotischem Stil durchgeführt, woran der Fortschritt
der Architektur abzulesen ist. Während Heisterbach nach der Aufhebung
1803 in Trümmer fiel, blieb Marienstatt als Pfarrkirche weiter in Benutzung
und dadurch der Nachwelt unversehrt erhalten. Seit 1888 leben hier
wieder Zisterzienser.

56

In Dreifelden steht die wohl älteste Steinkirche des Westerwaldes. Sie und der Ort liegen an einem Punkt, wo die konkurrierenden Mächte in alter Zeit aufeinander prallten: die Erzstifte Trier und Köln, die Grafschaften Wied und Sayn-Hachenburg. Das Kirchlein wurde 1960 mit Rücksicht auf Seenlandschaft und Ortsbild mustergültig erweitert und renoviert.

Wie alle Dorfkirchen ist auch die in Höchstenbach bescheidener als die
Kirchen der reichen Stifte und Klöster. Aber in ihrer Art steht sie
künstlerisch diesen kaum nach. Im Inneren sind vor allem die aus dem
13. Jahrhundert stammenden Wandmalereien in der Apsis bemerkenswert.

58

Fast wie eine Wehrkirche mutet die romanische Pfeilerbasilika in Kircheib an. Ihre geographische Lage, einerseits an der Leipziger Straße (B 8) sowie andererseits weithin sichtbar in dem allseits abfallenden Gelände, deutet auf eine alte Kirchengründung.

Die höchstgelegene Kirche im Westerwald wurde bereits in gotischem
Stil (Chor) aufgeführt, eben eine „Neukirch" oder „nuve Kirche", wie es in
einer Urkunde von 1231 heißt. Die beherrschende Lage und den trutzigen
Charakter hat sie mit Kircheib gemeinsam.

60 Noch spätromanisch ist die Kirche von Almersbach, die sich südlich von Altenkirchen über dem Wiedtal erhebt. Lediglich die Turmhaube ist barock. Ähnlich Höchstenbach hat man auch hier mittelalterliche Wandmalereien freigelegt. Wie dort und in der berühmten Kirche von Haiger (Dillkreis) hatte einst puritanische Gesinnung die Gemälde übertüncht — und so unfreiwillig der Nachwelt erhalten!

Die Kirche von Altstadt, durch die Verwaltungsreform ein Stadtteil von Hachenburg, gehört zum gleichen Typ von Landkirchen wie die beiden folgenden. Die ein Querhaus vortäuschenden Anbauten stammen wohl erst aus dem 15./16. Jahrhundert. Zur Inneneinrichtung gehört auch eine Kanzel von 1697 aus der Hand des gleichen Meisters wie in Dreifelden.

62

Die um 1200 erbaute Kirche in Birnbach gehört zu dem im Westerwald häufigen Typ von Dorfkirchen, den man noch in Altstadt und Flammersfeld antrifft. Der Ort war uralter Gerichtssitz des Auelgaues, aus dem sich die Grafschaft Sayn entwickelt hat.

Die Kirche von Flammersfeld ähnelt in Grundzügen der von Birnbach und ist zur gleichen Zeit entstanden. Sie wurde allerdings später durch An- und Umbauten verändert.

64

Gotische Kirchenbauten sind im Westerwald nicht so zahlreich wie die romanischen. Für die gotischen Pfarrkirchen möge die katholische Kirche in Montabaur als Beispiel gelten. Der eindrucksvolle viertürmige Bau liegt als Gegenpol zum Schloß im Süden über der Altstadt. Er wurde in mehreren Bauperioden fertiggestellt und oft verändert. Das Innere stellt eine gotische Stufenhalle dar.

Die Kirche des Kreuzherrenklosters Ehrenstein bei Neustadt an der Wied
ist einheitlich spätgotisch. Der Chor ist mit Netzgewölben (1486)
ausgestattet, seine Konsolen und Schlußsteine sind mit figürlichen
Darstellungen mittelrheinisch-koblenzer Art geschmückt. Berühmt sind
die kölnischen Glasmalereien (um 1470/80) mit biblischen Motiven und
Stifterbildnissen.

66

Die spätklassizistische evangelische Pfarrkirche von Bad Marienberg steht hier für die zahlreichen Schöpfungen sakraler Baukunst des 17. und 18. Jahrhunderts. Der 1818–21 von Johann Schrumpf errichtete Bau beherrscht das Gesamtbild der aufstrebenden Kurstadt. Die Architektur ist von der Schloßkirche in Weilburg beeinflußt worden.

Die Heisterkapelle in Wissen (1714) ist insofern eine Besonderheit, weil sie zu den ganz wenigen Fachwerkkirchen gehört, die in Rheinland-Pfalz noch erhalten sind. In Mehren besitzt die romanische Pfarrkirche kurioserweise über dem Chor einen Fachwerkspeicher.

68

Blankenberg bei Hennef ist die kleinste Stadt Deutschlands! Wie alle alten Städtchen im Westerwald hat sie sich im Schatten einer Burg entwickelt, genauergesagt ist sie in die Verteidigungsanlagen der im 12. Jahrhundert durch die Grafen von Sayn gegründeten Landesburg miteinbezogen worden. Die Stadt gilt (neben Nideggen) als das „best-erhaltene Beispiel einer Großburganlage des hohen Mittelalters im Rheinland".

Dillenburg entwickelte sich gleichfalls in Anlehnung an Burg und Residenz
der Grafen von Nassau. Auf ihr ist 1533 Wilhelm von Oranien geboren,
der in der niederländischen Nationalhymne verewigt ist. Im 18. Jahrhundert
wurde die Stadt Sitz der nassau-oranischen Landesregierung, ehe sie
1815 an das Herzogtum Nassau kam.

70

Herborn war als Verkehrsknotenpunkt bereits im Mittelalter von
Bedeutung. Als Reichslehen der Landgrafen von Thüringen und später
der Grafen von Nassau erhielt Herborn 1251 Stadtrechte. Das Rathaus
wurde 1589 begonnen. Die Altstadt zeigt im ganzen Nassauer Land
das am besten erhaltene Stadtbild.

Die 1584 durch Graf Johann VI. gegründete „Hohe Schule" in Herborn besaß eine über das Dillgebiet hinausreichende Bedeutung, wie schon aus ihren Matrikeln hervorgeht. Eine Tafel erinnert an das berühmteste Mitglied der Universität: Johann Amos Comenius (1592—1670).

72

Um 1200 bauten die Grafen von Sayn zum Schutz der Köln-Leipziger-Straße die Feste Hachenburg. Burg und Stadt (seit 1247) entwickelten sich bald zur Residenz und zum Mittelpunkt der Grafschaft. Bürgerfleiß verstand die Vorteile der Verkehrslage und zentralen Bedeutung zu nutzen, wovon der Bestand an wertvollen Häusern im Stadtkern noch heute Zeugnis ablegt. Der Blick auf den alten Markt zeigt rechts die katholische Pfarr- und ehemalige Franziskanerkirche, daneben das Haus „Zur Krone", ein bemerkenswerter Renaissance-Bau vom Ende des 16. Jahrhunderts.

Westerburg war zuerst Sitz der Gemündener Vögte, kam 1288 an die Herren von Runkel-Westerburg, denen später die Grafschaft Leiningen (Pfalz) zufiel. Die Stadt (seit 1292) war im 19. Jahrhundert nacheinander bergisch, nassauisch und preußisch. Als Kreisstadt (bis 1974) und Eisenbahnknotenpunkt, dessen Viadukt das Ortsbild beherrscht, hat Westerburg seine Bedeutung für den Oberwesterwald geltend machen können.

73

74

Eine Wasserburg der Herren von Isenburg-Braunsberg steht am Anfang der bedeutungsvollen Entwicklung von Dierdorf, das 1357 Stadtrechte erhielt und seit 1591 Residenz der Grafen von Wied-Runkel war. Der Rundturm der ehemaligen Stadtbefestigung gehört zu den noch unversehrten Resten der im letzten Krieg beschädigten Stadt.

Die „Alte Porz" in Isenburg gehört mit einem quadratischen Turm
nördlich der bemerkenswerten Kirche zu dem Verteidigungssystem der
Burg, deren Ruine auf dem zum großen Teil vom Saynbach umflossenen
Bergvorsprung steht.

76

Das malerische Ortsbild von Daaden erhält durch die hochragende evangelische Pfarrkirche einen besonderen Akzent. Anstelle einer romanischen Kirche wurde 1722—24 dieser Bau nach abgewandelten Plänen der sächsischen Regierung in Eisenach errichtet. Besonders der Kanzel-Orgel-Altar im Innern verrät die Hand des bedeutenden Baumeisters Julius Ludwig Rothweil, der auch in Bad Marienberg, Hachenburg, Hamm, Neunkirchen und Neuwied gearbeitet hat.

Bis ins 8. Jahrhundert lassen sich die Spuren von Haiger zurück-
verfolgen, das als Mittelpunkt des gleichnamigen Gaues die älteste Stadt
des Westerwälder Kernlandes ist. Die Bedeutung der uralten Siedlung
südöstlich der Kalteiche ergab sich durch eine vom Westerwald
kommende Straße, die hier ostwärts nach Oberhessen führte, und die
schon zur Zeit des Bonifatius erfolgte Gründung einer Kirche. Die heutige
spätgotische Pfarrkirche enthält noch ältere Bauteile und besitzt im
Inneren wertvolle Fresken vom Ende des 15. Jahrhunderts.

78

Das Rathaus von Rehe ist ein Beweis für den mit Stilempfinden und praktischem Sinn gepaarten Bürgerstolz. Der prachtvolle zweistöckige Bau enthält im Erdgeschoß die Amtsräume, im Obergeschoß einen großen evangelischen Betsaal, an dessen Kanzel das Datum der Einweihung festgehalten ist: 18. VI. 1741.

Waigandshain: Rathaus. Selbst in kleineren Orten hat sich oft das Selbstbewußtsein der Bürger im Bau von Gemeindehäusern manifestiert. Das im Grundriß rechteckige Bürgermeisteramt von Waigandshain entspricht in Typ und Funktion dem prächtigeren Bau in Rehe, auch hier schönes Fachwerk und zierlicher Dachreiter sowie im Inneren ein evangelischer Betsaal. Über dem Eingang steht die Jahreszahl 1752.

80

Der Adelsheimer Hof in Nassau (1607—09) dient seit 1912 als Rathaus. Er verdankt seine Entstehung den Freiherrn vom und zum Stein, die bei der Stadt ihren Stammsitz hatten — gleich unterhalb der Burg der Grafen von Laurenburg, die sich seit 1160 Grafen von Nassau nennen und so den Namen der Stadt an der Lahn weltweit bekannt machten.

Hadamar besitzt in seiner Altstadt noch zahlreiche Fachwerkbauten
aus dem 17. Jahrhundert. In der Schulstraße steht dieser prächtige Bau.
An dem Mittelerker sind die Gestalten von Adam und Eva zu erkennen
im Rahmen von Balkenschnitzwerk, das sich über das ganze Obergeschoß
der Fassade des 1676 erbauten Hauses ausbreitet.

82

Typisch für das Westerwälder Fachwerkhaus ist das zur Wetterseite tief herabgezogene Dach, der „Nirrerloß" (Niederlaß). Dieses strohgedeckte Haus befindet sich heute leider nicht mehr an seinem ursprünglichen Standort in Bilkheim, sondern im Freilichtmuseum in Kommern, wo es bis ins letzte Detail original aufgebaut und eingerichtet worden ist.

Das hervorragend renovierte Haus Nr. 71 in Maxsain (Haus Sahm) dürfte gleich nach dem Brand von 1719, dem der größte Teil des Dorfes zum Opfer fiel, errichtet worden sein. Ungewöhnlich ist die Stärke des hier verbauten Holzes.

Der romanische Altaraufsatz in Oberpleis gehört zu den ganz bedeutenden Werken aus dieser Kunstepoche im Rheinland. Wie man inzwischen erkannt hat, ist Maria als „Königin der Engel" (Regina Angelorum) dargestellt. Datiert wird das Retabel um 1160.

Der gotische Altaraufsatz von Marienstatt, der hier im Ausschnitt gezeigt
wird, ist reich gegliedert und in Fächer aufgeteilt zur Aufnahme von Figuren
und Reliquien. Vergleichbar sind ähnliche Werke in Oberwesel und Bad
Doberan (DDR). Der Marienstatter „Ursulaaltar" ist eine Schöpfung
kölnischer Kunst um (1340) 1360.

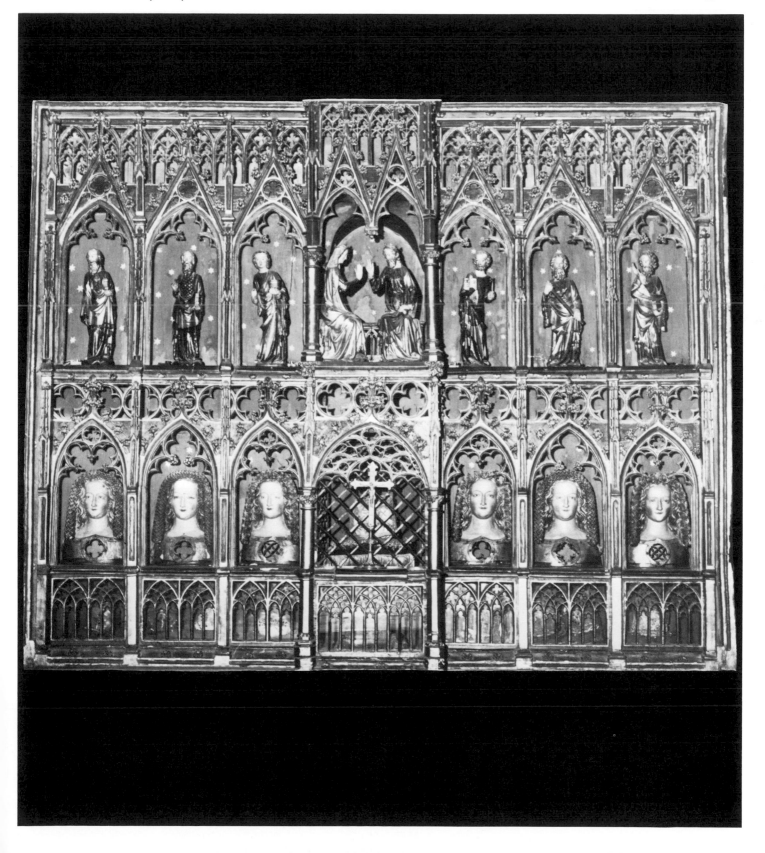

86

Es liegt nahe, daß im Waldland Westerwald Holz ein beliebter Werkstoff war und ist. Marienstatter Mönche (?) schnitzten um 1300 das wertvolle Chorgestühl, das auf rheinische Anregungen zurückgehen dürfte, aber auch gewisse Ähnlichkeiten zu dem in Gemünden aufweist. Die hier gezeigte Abschlußwange zeigt den Pelikan mit seinen Jungen, ein bekanntes Motiv christlicher Kunst.

Viele Fachwerkbauten tragen am Balkenwerk kunstvolle
Schnitzereien. Das Rathaus von Rehe überrascht durch den hohen
Standard in der Ausführung etwa dieser Türe an der Rückseite
des Gebäudes.

88

In der sogenannten Hadamarer Schule verfügt der Westerwald über eine bodenständige Kunstrichtung, die während des
18. Jahrhunderts außer in ihrem Ursprungsgebiet auch in
den trierischen Ämtern Limburg, Montabaur und Vallendar eine
Monopolstellung besaß. Das Bild zeigt eine Alabasterfigur
vom Dreifaltigkeitsaltar in Marienstatt, der als Ganzes
dem Johann Neudecker dem Älteren zugeschrieben wird.

Ebenfalls der Hadamarer Schule zugehörig ist diese Statue des hl. Josef aus der Kirche in Berod. Der Bildausschnitt läßt die edle Gestaltung des Hauptes gut hervortreten.

Die Madonna war immer ein beliebtes Kunstmotiv. Das um 1420 entstandene Vesperbild in Marienstatt ist, mit Verlaub gesagt, Importware, denn es gehört dem Kunstkreis der „schönen Madonnen" aus dem salzburgisch-böhmischen Raum an.

Die Madonna aus Stein (rechts) in der katholischen Pfarrkirche zu Montabaur aus der Mitte des 14. Jahrhunderts ist ein rheinisches Kunstwerk. Die thronende Muttergottes (links) in der neuen katholischen Pfarrkirche zu Westerburg, ebenfalls aus dem 14. Jahrhundert, ist das alte Gnadenbild der Wallfahrt zum Reichenstein.

92

Der große Saal des Küchenbaues des Montabaurer Schlosses wurde vor 1696 von Lazarus Maria Sanguinetti mit Deckengemälden verziert, die den Weltenschöpfer, die Sonnengöttin mit Eos und die verschiedenen Arten des Lichtes darstellen, wovon ein Detail wiedergegeben ist.

Während die meisten Räume der barocken Klostergebäude in Marienstatt
keinen oder nur schlichten Wand- und Deckenstuck aufweisen, sind die
Privatgemächer des Abtes besonders prächtig ausgestattet.

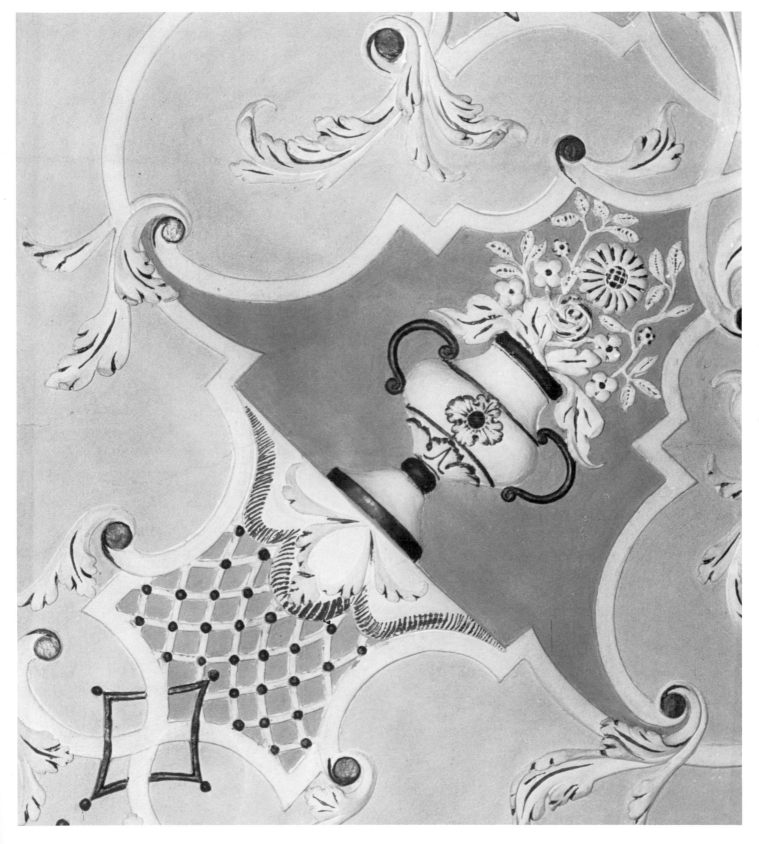

94

Das Wasser symbolisiert das Leben. Die Taufsteine in Bad Marienberg (oben) und Altstadt (unten) zeigen die beiden Typen, die aus dem 13. Jahrhundert im Westerwald vertreten sind. Entweder wird das Becken von sechs Stützen getragen (Altstadt, Hachenburg, Seck) oder von acht (Bad Marienberg, Niederlahnstein).

Prunkvolle Gräber sollten vielleicht das Endgültige des Todes über-
spielen. Die Mächtigen errichteten ihre Denkmäler für jedermann sichtbar
gerne in den Kirchen. Graf Gerhard II. von Sayn († 1492) ließ sich mit
seiner Gattin von dem kölnisch-niederrheinischen Meister Tilman
lebensecht modellieren, so daß der Bildausschnitt geradezu wie eine
Porträtaufnahme wirken könnte. Das wertvolle Grabmal steht in der
Abteikirche Marienstatt.

Die zahlreichen Kreuze in und außerhalb der Ortschaften erinnern an die christliche Vergangenheit. Das Wegekreuz (links) steht am „Hill-scheider Stock" der Straße Montabaur-Koblenz, das Totenkreuz befindet sich vor der ehemaligen Propsteikirche in Oberpleis (rechts).

Entlang der B 49 zwischen Montabaur und Limburg stehen noch einige
Meilensteine (links) aus kurtrierischer Zeit, die jeweils die Stunden von
Koblenz und nach Frankfurt oder umgekehrt angeben. — Der alte
herzoglich-nassauische Grenzstein steht am Golfplatz auf der Denzer-
heide bei Bad Ems (rechts).

„Land der armen Leute" hieß einst der Westerwald. Statt numismatischer Kostbarkeiten sind hier wirklichkeitsnäher billige Münzen gezeigt, die einst in der Hand des „kleinen Mannes" im Wiedischen und Nassauischen kursierten, sowie Westerwälder Notgeld aus der schlimmen Zeit nach dem ersten Weltkrieg.

Friedrich Wilhelm Raiffeisen gründete als Bürgermeister von Weyerbusch 1846/47 den „Weyerbuscher Brodverein", dem andere genossenschaftliche Organisationen in Flammersfeld und Heddesdorf folgten, die schließlich dem modernen Genossenschaftswesen überhaupt zum Durchbruch verhalfen und gerade im Westerwald viel Not lindern oder beheben konnten. Das im Krieg zerstörte alte „Backes" (Backhaus) von Weyerbusch wurde 1953 originalgetreu wieder errichtet.

RAIFFEISEN - BACKHAUS
Hier gründete
Friedrich Wilhelm Raiffeisen
als damaliger Bürgermeister von
Weyerbusch Anno 1846/47
den >Weyerbuscher Brodverein<
Das Haus wurde 1945 durch Bombenangriff zerstört. 1953 ist es in alter Form wieder errichtet worden

100

Das abgebildete Kriegsgerät der Aschanti (Ghana) stammt aus der Sammlung, die Graf Alexander von Hachenburg auf seinen Reisen zusammengetragen hat. Um die Öffentlichkeit in Zukunft besser vor Verlusten an wertvollem Kulturgut schützen zu können, um gleichzeitig moderne Bildungsmöglichkeiten schulbegleitend und schulergänzend der Bevölkerung anbieten zu können, besteht in Hachenburg das Landschaftsmuseum Westerwald.

In dem malerischen Ort Weinähr wird selbstgezogener Wein kredenzt, seitdem 1885 Moselwinzer dem überkommenen Weinanbau zu neuem Aufschwung verhalfen. Neuerdings ist der Weinanbau hier stark rückläufig. Die verwaisten Wingerte mögen daran erinnern, daß in früheren Jahrhunderten noch an anderen Stellen des Westerwaldes Weinbau versucht oder betrieben worden ist, bis zu den Steilhängen der mittleren Wied und sogar der Nister. Über die Qualität des damaligen Tropfens wird allerdings nichts berichtet.

102

Der Wald gibt immer noch Arbeit und Gewinn, wenngleich heute seine Sozialfunktionen steigend an Bedeutung gewinnen. Bei der Waldarbeit haben Traktor und Motorsäge selbstverständlich heute weitgehend die Muskelkraft von Mensch und Tier ersetzt.

Die Hutungen und Dauerweiden ermöglichen nicht selten dort noch eine
Bodennutzung, wo infolge der Rationalisierung in der Landwirtschaft
Ackerbau nicht mehr lohnend betrieben werden kann. Außer den meist in
Koppeln weidenden Rindern begegnet man öfter Schafherden, die von
Hirten begleitet größere Gebiete bewandern können.

Ergiebige Tonlagerstätten bilden die Grundlage einer blühenden Keramik-Industrie im „Kannenbäckerland". Nur eine kleine Kostprobe aus dem künstlerischen Schaffen dieses Gebietes kann hier geboten werden. Eine gute Übersicht vermittelt das kürzlich eröffnete Keramik-Museum in Höhr-Grenzhausen. Bedeutende moderne Werke werden regelmäßig mit dem „Westerwaldpreis für Keramik" ausgezeichnet.

Kaum ein Haushaltsgerät, das nicht früher wie heute in Keramik
hergestellt worden ist. Außer dem Arrangement von Gebrauchskeramik
wird hier der Siegerländer „Mäckes" in einer Nachbildung gezeigt.
In diesem Gefäß wurde den Bauern im nördlichen Westerwald Stärkung
auf das Feld gebracht. Der Volksmund gebraucht das Wort außerdem,
um fahrendes Volk zu umschreiben, wenn nicht gar — als Schimpfwort.

106

Kaum ein Ort ohne Kirmes, kaum eine Kirchweih ohne Kirmesbaum!
Originell und besonders für den unteren Westerwald typisch ist dessen
Ausschmückung mit einer phantasievoll gestalteten Figur aus unzähligen
ausgeblasenen Eiern. Manche Orte bringen hierbei hervorragende
Schöpfungen zustande.

Das Ehepaar Hübinger (†) aus Holler bestätigt die allgemeine Beobachtung, daß sich im Westerwald die schlichte Altfrauentracht am längsten gehalten hat, während die Männer schon früher ihre kleidsame Tracht abgelegt und als „Sonntagsstück" den altväterlichen Anzug gewählt haben. Die Aufnahme entstand per Zufall, heute ist ihr dokumentarischer Wert umso größer.

Wandern ist wieder „in". Auch die Jugend macht da mit, wie diese jungen Leute am Wilhelmsturm in Dillenburg. Stolz kann der Westerwaldverein auf rege Jugendgruppen in einigen seiner Zweigvereine blicken. Dort ist man bemüht, die neue Welle nicht in Rekordhascherei ausarten zu lassen, sondern den gesundheitsfördernden und bildenden Wert des Wanderns zu pflegen.

Camping an den Secker Weihern. Das Gelände bietet mit seinen 14 ha
Wasserflächen Gelegenheit zum Baden, Bootsfahren, Angeln und dazu
allen nötigen Komfort für die Camper. Nicht weit entfernt ist die wild-
romantische Holzbachschlucht. Wer außer dem Körper auch den Geist
auffrischen möchte, wird sich für die Ruinen des ehemaligen Nonnen-
klosters Seligenstadt (bis 1499) in der Nähe und die Kirche in Seck,
die auf eine Stiftung der Konradiner (vor 879) zurückgeht, interessieren.

Neben den modernen Schwimmbädern in allen größeren Orten des
Westerwaldes bleiben die natürlichen Badegelegenheiten wie hier am
Heisterberger Weiher weiterhin beliebt.

Die Krombachsperre bei Rehe und Mademühlen dient nicht nur als Energiespeicher, sondern bietet vielfältige Möglichkeiten für den Wassersport. Ein Teil des künstlichen Sees ist freilich tabu: Als Vogelschutzgebiet ist er Zuflucht zahlreicher Schwimm- und Watvögel.

Für die Segelflieger bietet der sprichwörtliche Westerwälder Wind eine gute Voraussetzung zur Ausübung ihres Sportes. Außer dem Sportflugplatz in Breitscheid (Dillkreis) bestehen noch weitere Flugplätze an mehreren Orten.

Die Wilhelmsteine im Schelderwald südwestlich von Wallenfels stehen
auf der ersten von sechs Bildseiten, die dem Land östlich der Dill
gewidmet sind, das der Geographie zum Trotz enge Beziehungen zum
Westerwald hat. Derartiges Eisenkieselgestein in Verbindung mit den
Deckdiabasen ist im Hinterland gar nicht so selten, nur meist viel
bescheidener ausgebildet als dieses Naturdenkmal.

114

Die Oberburg (14. Jahrhundert) der Burgruine Hermannstein an der Dill gilt als bedeutendste Wohnturmanlage in Hessen. Die Feste war anfangs für den Landgraf Hermann I. von Hessen gebaut worden, ehe sie gegen Ende des 15. Jahrhunderts Eigentum der Freiherrenfamilie Schenck zu Schweinsberg wurde.

Nanzenbach beeindruck durch die Einheitlichkeit seiner Dorfanlage,
die es einem Unglück verdankt: Im Jahre 1772 brannte das Dorf ab. Der
Wiederaufbau in den beiden folgenden Jahren erfolgte einheitlich nach
dem Plan des fürstlich-dillenburgischen Baumeisters Terlinden.

Wie Geschwister liegen sich, auf zwei die Gegend beherrschenden
Basaltkegeln, die beiden Burgen Gleiberg (näher zu Gießen) und Vetzberg
(näher zu Wetzlar) gegenüber. Vetzberg war ursprünglich Vogtsberg
— Sitz eines Vogtes — von Gleiberg, von wo aus sich diese Aussicht bietet.

Die Burg Gleiberg in Krofdorf-Gleiberg bauten schon im 11. Jahrhundert die gleichnamigen Grafen. Doch schon 1103 zerstörte Kaiser Heinrich die Feste, die später an die Herren von Merenberg, dann an Nassau-Weilburg fiel.

118

Das häusliche Leben von Adam und Eva ist eine der Szenen, die in den aus der zweiten Hälfte des 15. Jahrhunderts stammenden Wandmalereien der spätromanischen Kirche von Ballersbach dargestellt sind. Vielleicht haben die Fresken den gleichen Meister wie in Haiger zum Urheber. Man könnte fast den Eindruck haben, als sei hier der arbeitenden Bevölkerung im Westerwald und Hinterland vor Jahrhunderten ein Denkmal gesetzt worden.